國家圖書館藏·蒙學善本

書言故事大全

第六冊

鳳凰出版社

湖海之士

有志竟成

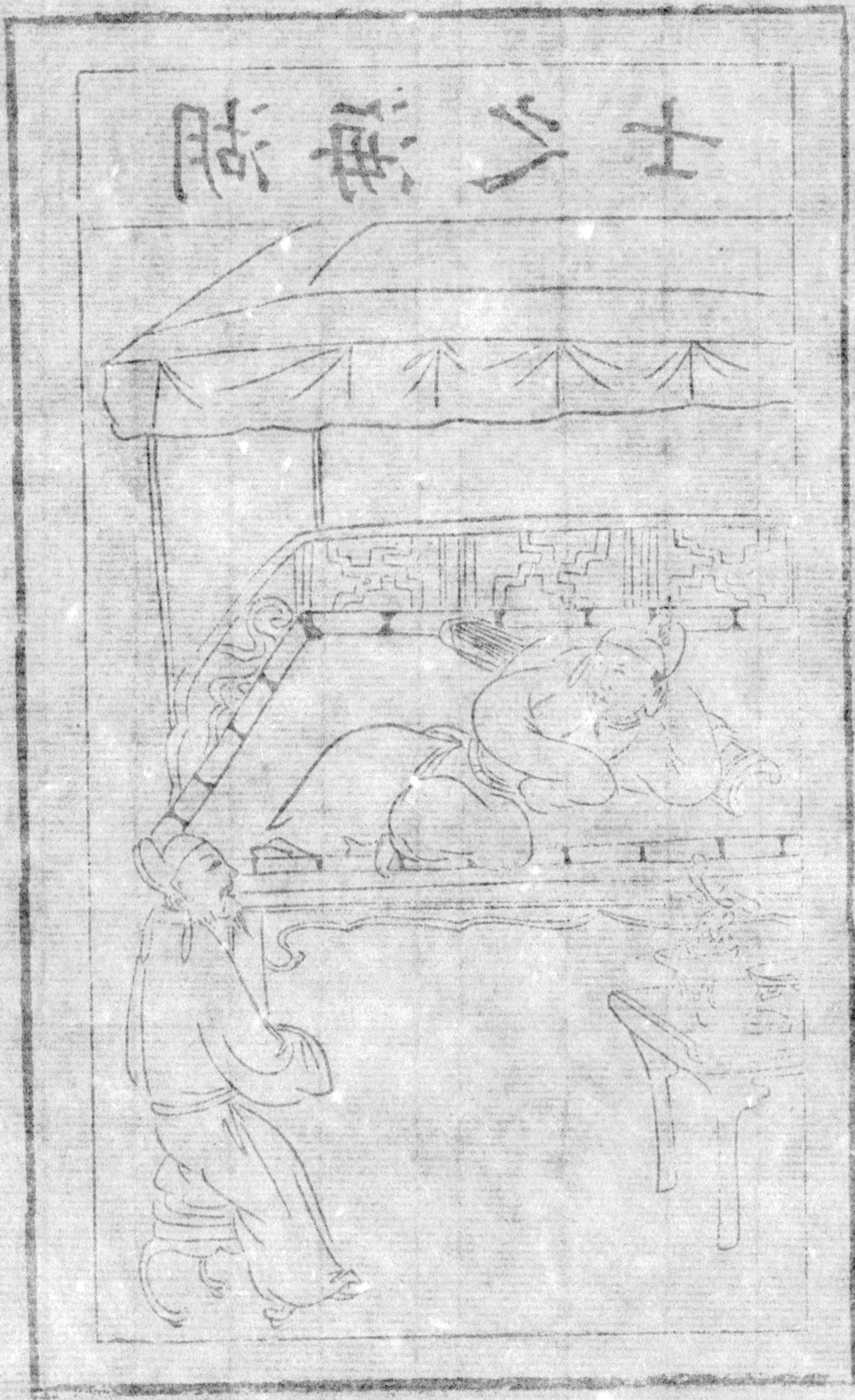

書言故事大全卷之六

廬陵　胡繼宗　集

安成　陳玩直　解

○聲名類

湖海士（漢）陳登字元龍許汜（音泛）與劉備在劉表坐上備與表論天下人物許汜曰陳元龍湖海之士豪氣未除昔見元龍無客主意久不相與語（汜言我昔時與元龍相見元龍自大絕不能敬我為客以盡其為主之意又極久不能與我共言何其慢於我也）自上（上声）大床臥使客臥下床（大床貴盛之床下床卑賤之床也汜言元龍睡臥自上大床使我為客者臥於下床）備曰君求田問舍言無可采元龍何緣與君語（君備稱汜也求田問舍務求安也采取也備意當時漢衰天下大亂汜不能救而自已但知求安元龍素豪氣其心信憂於國何緣與君語）如小人欲臥百尺樓上臥君於地何但上下床之間耶（小人劉備自称也備言於汜曰元龍待汝自臥大床仍以下床待汝如我待汝之意欲得臥於百尺之樓臥汝就地何止於元龍上下床之間耶）表大笑

氷檗聲（檗音百）有清苦之名曰氷檗聲（宋）王質王文正公旦之姪以貧為寶（王質以清貧苦節為寶）文正為舍人時（文正公王祐之子也王祐為知制誥時文正為舍人親近左右之通稱也後以為官號）家虛

貸金贍昆弟家虛家貧空虛也貸借也贍助也文正家貧空虛遂於他人處借金以贍
足兄弟之用過期不入違過約期昆弟貧而無還輟音拙乘馬償之輟止
也償還也過約期而無還文正止以自己所乘馬代之還以取所借之券質得其券音勸
○券約也質閑中搜檢得文正所取代借昆弟之券約曰此前人清風前人指文
正也質言文正有此清節之風度也又得顏魯公為尚書時乞米帖
顏魯即顏真卿也魯公為尚書時貧乏寫帖求與人乞米於此際王質得之刻石遺親
友雅尚如此以所取之約乞米帖并刻石印以遺親友惟尚清貧蓋如此故所
至有氷櫱聲櫱黃木也今黃櫱苦藥是也以此故但所至處則有氷清櫱苦之聲名言
其声言若氷櫱之清苦也杜詩一室氷櫱苦一室之間空虛無所有也

籍甚 叙聞名曰耳籍甚之聲耳者耳所聞籍甚之聲音也陸賈傳
名聲籍甚籍甚者狼籍甚盛聲名之美讚詔者甚多故謂之籍甚

高義 講聞高義陳義杜詩彭何行彭衙縣在同州高義薄音剝層
雲薄或曰近也杜甫言有故人姓孫為三州守有高義而近於層雲莊子讓王篇楚
王曰屠羊說○音悅有人名悅不知姓以屠羊為業遂呼為屠羊悅居處音佇
卑賤而陳義甚高

香名 知名不相識者曰起敬香名李白送孟贊府贊府
縣丞也白以弱植弱植年少時如草軟弱植立早飲香名飲咽飛太總遂
也李白言我自早年尺知香名若飲水之足矣

書言義車　卷之六　三

一、右軍營旁帝臨親食曰普韓許嫁

常美曰百志昔車賣妨（葉）光左車導至韻

　○志康醿

之之園

賢所之疑○影嚧吸至坡革令聞金坐堂裘民十四

顧所口謂之

聞恙公室轉　斯所○蓋各十興婿曰願

曾分聞之　斯口　聞志鄙聞堂（苔）

口口口（式）部公二　十二年奉九走十八唱之曰主右其諧

銀觀嘉聞雖夫藜聞實口聞口

城三十年以功封定遠侯

嘗膽 自嘆勞苦曰半生嘗膽吳王敗句（音溝）踐於夫（音扶）椒（句踐越王也夫椒吳地名吳王闔閭伐越闔廬反敗傷而死子夫差立周敬王二十四年夫差敗越王於夫椒擒越王）越王反國（吳太宰伯嚭受越王賂說夫差復越〻王遂得反國）苦身焦思（去声○焦大傷也勞苦其身心思之熱猶火傷也）置膽於坐（以膽安置於常坐之處）坐臥則仰膽（或坐或臥即仰面以嘗膽）飲食亦嘗膽以思報吳王之仇（雖飲食之際亦復嘗膽〻味苦則思報怨周元王二十四年越伐吳〻三戰三敗走吳王上姑蘇臺為幎冒乃死【註】幎音客冒音帽幎面衣也以帛為之方尺二寸四角有繫後結之）

笑人寂寂 齊王融自恃人地（自恃人物門地而有才能）三十內望為公輔（三十歲之間望為三公）及為尚（音常）書郎撫枕嘆曰為（去声）爾寂寂鄧禹笑人（爾者言自己也鄧禹光武功臣年二十四為大司徒王融三十初為尚書郎故曰為爾寂寂也融言鄧禹年少為官之大我年既多為官之小以鄧禹比之則見笑於人）

貧賤不移 窮而益堅曰貧賤不移（益加也加於堅守）孟子（滕文公章句下）富貴不能淫（淫蕩其心也○趙氏曰富貴則求得欲從故易至蕩其心○小人居富貴而放肆其心君子居富貴而好禮則不至淫也）貧賤不能移（移變其節也○趙氏曰貧賤則居約處困故易至變其節○小人居貧賤不能堅操其節此心則移矣君子雖居貧

賤其節堅然中二不移改也

威武不能屈 屈非其志也○趙氏曰遇威武又易志隕獲震懼故多挫橈其志氣○懦弱者遇威武即此至於屈勇於義者以理存心而獨立不懼也

之謂大丈夫 此蓋景春謂孟子曰公孫衍張議豈不誠大丈夫哉怒則說者諸侯使相攻伐則諸侯懼孟子曰是焉得為大丈夫乎居天下之廣居立天下之正位○行天下之大道得志与民由之不得志獨行其道富貴不能淫貧賤不能移威武不能屈此之謂大丈夫

鐵筆未穿

不改業曰鐵硯未穿（宋）桑維翰或令其改業 維翰業進士考官惡其姓不祥故或人令其改業 維翰鑄鐵硯以示人 示曉示也 曰硯穿則易他業 易換易也 卒以進士及第 卒終也○編進士甲次第一甲謂之進士及第○其次謂之進士出身

浩然之氣

英英不屈浩然之氣孟子 公孫丑章句上 我善養吾浩然之氣 浩然○盛大流行之貌○氣即所謂躰之充者○本自浩然失養故餒惟孟子推善養之以復其初也○此蓋公孫丑問孟子曰夫子若得位而行道遂成霸王之業○亦有所恐惧疑惑而動心乎孟子曰否○我四十不動心○况今得道所當以行何動心之有於此公孫丑復問孟子有何所長而能不動心○故孟子云○我善養吾浩然之氣其為氣也至大初無限量○至剛不可屈撓○蓋天地之正氣而人得以生者其体段本如是也○必養之以至浩然而無虧欠也

運甓

音必（晋）陶侃在荊州朝運百甓於齋外 甓○甎也○每日早晨搬運甎一百箇於齋外暮運於齋內 至暮○又搬入齋內○明日又搬出○至暮又搬入○如此日日無間斷 人問其故侃荅曰吾方致力中原 東晋立国江左○中原

之地。爲劉右所據。陶侃志欲興復中原故地。故運甓以致其力煉習其身優逸恐不堪

事治郡無事。若習成優游閑逸恐不能堪任此勞事也

○德量類

悃愊 悃音坤入聲。愊音僻至誠曰悃愊（漢）宣帝詔曰。安靜之吏安靜。至誠也。吏。仕宦者之總名若今總言官也悃愊無華悃愊。習實情也。至誠者但以實情而不能華麗以虛誕也

豁達 陸贄音至奏議漢高豁達大度漢高。高祖也。豁其心胸洞達事理而度量寬大也天下之士至者納用天下之賢士至則納用所以得天下。如項羽不納諫不用賢良所以失天下

無物（晉）王導枕音正周顗音你膝王導。王敦從弟也。枕以頭枕而睡也。指顗腹曰卿此中何所有顗荅曰。此中空洞無物但足容卿輩數百人周顗字伯仁。時荊州刺史王敦反或勸晉元帝盡誅王氏王導率宗族每日詣臺待罪周顗將入導呼之曰。伯仁以百口累卿顗不顧入見帝言導忠誠申救甚至顗醉出導又呼顗不與言既出又上表明導無罪導不知及敦殺顗導不救後檢中書見顗表執之流涕曰吾雖不殺伯仁伯仁由我而死幽冥之中負此良友按此足見周顗容卿輩數百人之量如此

相忘（莊子）大宗師之篇孔子曰魚相忘於江湖水深游泳魚得之樂各足相忘人相忘於道術偏愛斯絕。人得道術而樂故能相忘〇孔子言此蓋爲子桑戶。孟子反。子琴張。三人相与爲友。子桑戶死。孔子使子貢往供喪事餘二人或織簿或鼓琴相和

而歎曰。嗟来桑户乎嗟来桑户乎而已反其真而我猶為人猗、（者歌誦之餘音也。）子貢趍而進曰敢問臨尸而歌礼乎二人相視而笑曰是悪知礼意。子貢反以告孔子曰彼何人耶孔子曰彼遊區域之外者而丘也遊區域之内者彼也。忘其肝膽遺其耳目悪能為世俗之礼子貢曰然則夫子何方之可依故孔子荅云。魚相忘於江湖人相忘於道術

度外 不責人過置之度外（置安置猶放也）漢光武積苦兵間（光武殺王莽中興天下。積日久也。若於兵間百死得一生）時惟隗（桅上声）囂（許嬌反）公孫述未平（隗囂據天水公孫述據蜀）謂諸将曰。且當置此兩子於度外（度外法度之外。或曰度量之外恐非）

無崖岸 不高傲曰無崖岸 唐鄭群天性和樂居家事

人與待交遊持一心未嘗変節（一心即上文所謂和樂也居家事人及与接待交遊之際。専持和楽於心而未変其節操）不為崖岸嶄絶之行（崖岸嶄絶。即所謂高傲也。常持和楽而不能為高傲之行也）

不脩邊幅 不作體曰不脩邊幅 漢公孫述帝蜀馬援往觀（馬援光武功臣舊与公孫述同里閈相善）述盛陳陛衛延入（陳陛衛已見前第一巻人君類陛下之下。公孫述亦陳兵而後延馬援入）援謂隗囂曰公孫述不吐哺迎國士（吐哺者食在口則吐出而不起以迎賢士）反脩飾邊幅。如偶人形（脩飾邊幅猶言做模樣。如布帛脩整其邊幅之義。一曰如田之有畔布之有幅。偶人木刻人也）何足稽天下士（稽留也。○此郎餘義見三巻卜見類。并底蛙之下）

【達人大觀】（賈誼鵩音服賦）達人大觀兮無物不可詳見下文

（鶡音曷冠子）有十九篇其詞雜黃老刑名楚人深居山以鶡鳥羽為冠子班固曰道家者流遂以名書達人大觀乃見其符符信端也漢制以竹長六寸。分而相合言通達之士曠懷大觀手造化俯仰之間无一物而不若符之相合也

【秋月寒江】（山谷）贈李次翁德人天游心以天理自樂。故曰天游有德之人蓋如此秋月寒江有德之人其心明潔若秋月寒江之皎皎（寒山詩）寒山与拾得乃文殊普賢二菩薩化身吾心似秋月。碧潭光皎潔俗傳此詩下仍有二句云无物堪比倫。教我如何說

【有脚陽春】所到施平声恩謂有脚陽春（唐）宋璟音影愛恤民物時人謂有脚陽春言所至如陽春及物也

【嘘枯吹生】（漢）孔公緒清談高論嘘枯吹生嘘氣吹枯木欲其復生公緒名伷為豫州刺史後漢獻帝初与袁紹等謀計董卓伷屯潁川。卓議大發兵擊紹等尚書鄭泰曰袁本初公卿子弟生處京師。孔公緒清談高論。嘘枯吹生。並無軍旅之才非公之儔也（釋注）伷音宙

○寬恕類

【包荒】有逆忤人云望包荒（易）泰卦地天泰卦名也䷊九三在下第二爻包荒不遐遺朋亡无同○標題云。包荒九二爻陽剛得中而上應於五任致泰之責者也。必容荒穢有宰捌度量不遐遺用心弘大。不以遐遠而遺棄之朋亡。陽剛得

中故无明之之私

憲量 望人寬容曰覰（音記）憲量含弘（覰希望也）〔波量〕黃憲字

叔度（叔度後漢安帝時人也。年十四有度量。荀叔戴良等皆才高，每見叔度輒惆然若自失）

郭林宗曰叔度汪汪若千頃波（汪汪，言其量若水之深且廣也。百畝為頃，極言其量若千頃波之寬也）

澄之不清（水之清淺者則見底，澄徹極深而不見底，似不清也）淆之不濁（淆音河。淆，渾也。言其深廣，縱以渾水混之而不濁也）不可

量也（言其量如千頃之陂，深而且廣。所以不可量度也）

帶芥（帶音寨）望人豁（完入声）畧（豁畧者心不執帶也）曰幸勿帶芥〔司

馬相如上林賦〕楚有七澤（楚地有七澤。澤，水澤也）其一曰雲

夢方九百里。吞若雲夢者八九其餘胷中曾不蔕

芥（蔕芥，刺鯁也。胷中極廣，能容細事。如雲夢含容刺鯁也）〔賈誼傳〕細故蔕芥

何足以疑（細小之故，如刺鯁何所不容。何足以疑）

撝謙（撝音揮）謝人降屈云仰辱撝謙〔謙光〕〔易〕謙卦（地山謙卦名也）䷎

謙尊而光（程子曰謙為卑巽也，而其道尊大而光顯）卑而不可

踰（踰，越也。〔程子曰〕自處雖卑屈，而其德實高，不可加尚，是不可踰也）无不利撝謙

（撝。施也。言能揮布其謙以接物也。〔程子曰〕凡人之謙有所宜施，不可過其宜也。故凡所動作靡不利於施謙，如是然後中於法則，故曰謂得其宜也。昔賢引撝謙為言以謝人降屈，仰辱其自卑而有光輝，則不能踰越德如是，則无不利於撝謙矣）

○瞻仰類

識荆　見未識人曰幸獲識荆（識韓）李白與韓荆州朝宗書曰白聞天下談士言曰生不用封萬戶侯但願一識韓荆州韓荆州為荆州刺史借荆州為名古之封萬戶侯遂以萬家之口田粮悉付與之管束。非今封侯止與之俸。於是白言我聞天下談論之士所言平生不願封萬戶之侯但能識韓朝宗亦足矣何令人之景慕一至此也景仰也慕恋也言有德者何乃令人之仰慕思恋至於如此

慕藺　未識人云久懷慕藺司馬相如字長卿小名大子長卿前漢武帝時拜中郎將既學藺相如之為人藺相如戰國趙惠文王之臣也藺相如之為人。忠義兼備。怒則髮指冠度量寛廣長卿既學所以慕其志亦名相如

仰韓　回簡叙瞻仰云正切仰韓仰斗詳見下節

山斗之仰　泰山北斗之仰（唐）韓愈賛唐興愈以六經之文為諸儒倡倡。同也。六經周易尚書毛詩春秋礼記。周禮倡導也。引也先也自愈歿其學盛行。學者仰之如泰山北斗泰山之高北辰之遠。學者仰愈之文極高遠。亦如拱向泰山北斗者也

山仰景仰　（詩）車舝閒入声○篇名高山仰音昂止仰瞻望也。高上則可仰者人有高德者。人皆慕仰之如仰高山也景行行音杭止景行大路也。大路則可行有明行者則而行之若行大路也

○讚仰類

【識荊】見未識人曰幸獲識荊（識韓）李白與韓荊州朝宗書曰白聞天下談士言曰生不用封萬戶侯但願一識韓荊州（[illegible]）[illegible]位能識韓朝宗亦之美何令人之景慕一至此耶（言有德也景仰慕[illegible]）何乃令人之仰慕[illegible]至於如此

【慕藺】未識人云久懷慕藺司馬相如字長卿小名犬子（時拜中郎將漢武帝）既學藺相如之為人（趙藺相如惠文[illegible]）

【仰韓】[illegible]

【山斗之仰】泰山北斗之仰（唐）韓愈贊唐興愈以六經之文為諸儒倡（[illegible]）愈沒其學盛行學者仰之如泰山北斗（泰山之高北辰之遠）[illegible]

【山仰景仰】詩車舝（[illegible]）高山仰止（[illegible]）景行行止（[illegible]）[illegible]

披雲 叙未識曰未遂披雲披覩（晉）衛瓘見樂廣奇之（奇之者。衛瓘讃樂廣之美也）命子弟造焉（造往訪也）曰此人若冰壺（冰壺者言其清潔也）見之瑩然若披雲霧而覩青天（披開也散也。既見之則瑩然而無瑕疵若開雲霧而見青天也）

覩星 未遂覩星未諧覩鳳韓愈遺（去声遺贈也）○李渤書曰朝（音潮）迀士引領東望（引領者伸頸以望也）若景星鳳凰始見（見去声○景星德星也）争先覩之為快（快者覩之而快意也）

望塵 未展望塵之拜（晉）潘岳與石崇諂事賈充潘每降車左（降下也潘岳自上車之左边古以左為幼右為長）望塵而拜（望賈充車喉起塵即拜焉）

停雲 瞻仰云哦停雲之詩（陶）潛停雲詩 停雲（篇名）思親友也（親友謂既友而且在眷中者或是親密之友則思之）

采葛 叙別云。誦采葛之詩（詩）采葛（篇名）懼讒也彼采葛（叶音結）兮一日不見如三月兮（采葛所以為絺綌。蓋淫奔者託以行也。故固以指其人而言。思念之深。未久而似久也）彼采蕭（叶音脩）兮一日不見如三秋兮（蕭荻也。白葉莖麄秋生有香氣祭則病以报气故采之曰。三秋則不止三月矣）

鉅鹿下 瞻仰云未嘗不在鉅鹿下（漢）文帝謂馮唐曰。昔有為我言李齊之賢戰於鉅鹿下（鉅鹿地名今邢州是也。李

齊之賢盡力攻戰於其間今吾每飯意未嘗不在鉅鹿也每食意思念所說李齊在鉅鹿時

引領 叙瞻仰雲。方此引領（孟子）梁惠王章句上天下之民皆引領而望之矣此盖孟子見梁襄王。襄王急延而問曰。列国分爭天下當何所定。孟子答曰合爲一然後定。王復問孰能一之。孟子復答曰施仁政。不欲殺人者則天下之民皆引領而望之矣。引領注見本類前觀星之下。望之者猶帰順也

傾葵 正切傾葵葵心（曹誰求通親書）若葵藿之傾葉太陽夫葵自朝至暮忠心向日。言凡人但有切切思慕之心。亦若葵矣

心旌 心旌搖搖（文選）搖搖我心如懸旌搖動也。旌旗也。言心之

思慕而動若旗之搖

慕用 叙瞻仰曰。極切慕用（前漢）（陳餘傳）何鄉音向者慕用之誠慕用思慕用之意而後相背之戾也張耳陳餘爲刎頸交。立趙歇爲王。後陳餘襲破恒山。張耳故走漢。張耳与韓信以兵擊趙斬陳餘擒趙歇敗陳餘傳有背戾之嘆

望河 叙未得親近之意曰徒切望河（宋之問明河篇）云云明河可望不可親明河可以仰望。而不可親近人之不得相親近亦猶是也

望風 叙不相識曰極切望風（唐）李邕少音紹知名邕自少有

才人皆知其名李嶠等薦為諫官。拜拾遺拾遺唐時官名東封獻
書云云稱去声旨明皇東封李邕獻書而称上意旨東封之義已見前第五卷身體說
類斷送老皮頭之下信陵後進之流。不識李邕信陵之地。後輩之人。雖聞
李邕之名。而不識降阡陌聚觀望風尋訪降下也阡陌。路也。南北為阡。東
西為陌。李邕眉目怪異及入朝。阡陌聚觀時称李北海

執熱思濯 〔詩〕大雅桑柔之篇誰能執熱逝不以濯言誰能執持熱物而
不往取水以濯其手乎

渴心生塵 渴心之塵已萬斛矣十斗為一斛盧仝訪僖上
人不遇上人和尚也題曰三入寺僖不來轆音鹿轤音盧無

縄井百尺轆轤井上架圓木轉縄吊桶以取水者渴心歸去生塵埃
因無縄以取水。致心渴歸以生塵。借此以比訪不遇也

落月屋梁 每動落月屋梁之想〔杜詩〕落月滿屋梁。猶
疑照顏色此詩杜甫夢李白之作也。言落月屋梁之際。猶疑照李白之顏色

鄙吝復萌 已覺鄙吝復萌矣。黄憲字叔度。陳蕃周舉
嘗相謂曰旬月間不見黄生鄙吝之萌。復存乎心
矣黄憲之故。已見此卷前寛恕類憲量之下。○蕃等言常見叔度得以教益稍若旬月不見。鄙吝
之心不除也

春樹暮雲 誦春樹暮雲之句〔杜甫春日憶李白詩〕渭

[illegible]春樹暮雲之句杜甫春日憶李白詩渭

[illegible]

矣[illegible]

嘗相謂曰時月之間不見黃生則鄙吝之萌復存乎心

鄙吝復萌 已覺鄙吝復萌矣黃憲字叔度陳蕃周舉

落月屋梁 疑照顏色 [illegible]杜甫夢李白之作也[illegible]

每動落月屋梁之想 杜詩落月滿屋梁猶[illegible]

[illegible]

[illegible]井百尺 [illegible]

書言故事 [illegible]

人不遇[illegible]三人[illegible]不來[illegible]

[illegible]

[illegible] [illegible]

[illegible]

[illegible]

[illegible]

北春天樹渭北杜甫所居也江東日暮雲江東。李白所居也何時一樽酒重與細論文

山陰夜雪 動山陰夜雪之興去声下同王子猷居山陰。夜雪初霽。月色清朗。忽憶戴逵。乘興便乘小船詣之此節之義已見前第三卷送行類乘興之下

○談論類

晤言 叙間去声闊云。疎奉晤言。晤語詩東門之池篇可與晤言。可與晤語晤。猶解也。對。也遇也此亦男女會遇之詞也

霏霏之談 不奉霏霏之談晋胡毋音無輔之胡毋姓也覆王澄曰彥國吐佳言輔之字彥國如鋸木屑。霏霏不絕

麈談 麈音生疎渴麈談晋王衍妙善玄言。惟談老莊老。老子也。莊莊子也。各著有書每執王柄麈尾而與手同色麈。獸名。似鹿而大。其尾辟麈。名苑曰。鹿之大者曰麈。群鹿隨之。皆視所往尾所轉為準古之談者揮焉言談話有準而不故曰麈談

談藪 音叟稱人談論不竭為談藪晋裴頠挠上声善談論時人謂為言談之林藪藪大澤也

雋永之論 雋音吮又祖兖切談論深長有味曰。雋永之論漢蒯徹論戰國說音稅士權變周之衰諸侯用兵爭強號為戰國於是蒯徹專

論其時遊說之客。權變機謀亦自序其說八十一首號雋永師古曰。雋。肥肉。永。長也。言所論甘美而深長

談柄 與人談事云聊資談柄棲雲寺大朗法師每談論手執松枝以爲談柄談柄者以示人。所言不虛而有本也

矩誨 與尊長先生簡云不聆矩誨〔孟子〕告子章句上大匠誨人以規矩大匠工師也。規法則圓。矩法則方此匠之法。將以教誨於人學者亦必以規矩學者必以守其規矩○孟子言事必有法然後可成。師捨是則無以教弟子捨是則無以學。曲藝且然。況聖人之道乎

提誨 不聆提誨聆。聽也提耳之誨提撕音西〔詩〕抑篇匪手携之言示之事示音始○非徒手携之也而又示之以事匪面命之言提其耳非徒面命之也而又提其耳○總上文之詩所以喻之者。詳且切矣

懸河 不奉懸河之語郭象。字子玄能清言。王衍云每聽象語。如懸河瀉之久而不竭竭盡也

珠玉 不聆珠玉之論〔李白詩〕欬開去声唾落九天隨風生珠玉

綺語 踈奉綺語不奉灑雪之語〔韓愈詩〕綺語灑晴雪

綺談 不奉綺談。不聆爛霞之論〔文選〕〔陸士衡詩〕高談一何綺蔚六入声若朝霞爛

清談 不聆清談阻奉玉露之清談（杜詩）清談見滋味

（又）清談玉露繁 直懸河至此謂善言清繁如珠玉不得奉而聽

情話 得奉情話（陶淵明歸去来辭）悅親戚之情話 但欲但歆會親戚故舊喜悅以共真情之語此盖淵明辭官帰家娛情如此

清誨 得聆清誨（後漢趙壹傳）壹音色 皇甫規謝語覯 音計 承清誨 覯希望也。望欲承清談之教誨也

衷言 謝親戚著 張入声 語曰辱賜衷言（左）莊公十四年 鄭厲公伐鄭 厲公魯桓公十五年出奔蔡至是伐鄭鄭大夫傅瑕而納厲公及殺其君厲公入國以傅瑕不忠有二心逐殺傅瑕 使謂原繁曰 厲公又使人謂大夫原繁曰吾頓与伯父圖之伯父称原繁也。我願與汝謀之盖疑原繁亦有二心若傅瑕 且寡人出 言方出奔我之也 伯父無衷言 謂原繁初無納我之言我既入汝又無親附我之意寡人憾焉。

話言 話音去声 懷得奉話言（左）告之話言 話善也

外言内言（記）曲禮上篇 外言不入於梱 坤上声○梱所以限内外也外言不入男子不言内也 内言不出於梱 女子不言外也

誨言 辱賜誨言（書）洛誥篇 拜手稽首誨言 拜手手至地也稽首首至地也此成王謝周公告卜之誨言告卜者成王命周公至洛築王城以洛為天下中四方入貢道里均也至是築城以成。周公拜手稽首遣使告於成王曰既為君為子者親之也為明君者尊之也故於此成王亦拜手稽首以謝周公告卜之誨言周公成王之叔也周公相成王尊則君親則兄之子也

藥言 辱賜藥言（史 商君傳）（商君即秦商鞅也）若言藥也（若言諫諍之言也。人有過以言諫之若病以藥攻之也）甘言疾也（小人之以甘言導之則必至於惡若病有疾病焉）

法語之言（語音遇）得聆法語之言（語 子罕篇）子曰。法語之言能無從乎（法語者正言之也法言人所敬憚故必從）

語蟬聯（晉）王藴為會稽内史。時王悅来拜墓藴子恭往省之（省察也 候也）留十餘日方還藴問其故（問其十餘日不歸何也）恭曰。與阿（安入声）大語蟬聯不得歸也。（阿大。王悅也。蟬聯語意相繼不斷也）

踐言 辱拜踐言之賜（記 曲礼上篇）修身踐言（修飾其身踐行其言謂先所發之言必欲行之）謂之善行（能脩身踐言則可謂行之美矣）

誚讓 謝人見責曰。仰蒙誚讓（前漢高祖記）會因誚讓羽（因誚或曰即滎陽讓責也。羽項羽也。羽獲高祖父於是高祖數羽十罪。十罪見史畧註）

○評論類

德色 自矜有恩曰德色（矜自賢於已也）（賈誼疏）秦人。借父耰（音憂）鉏慮有德色（耰摧也 耰耕覆種也。父執耰鉏以耕田為子者優游自矜有恩德）母取箕帚立而誶（音碎）語（誶責也 母取箕帚掃地為子者不能替之反立而責也 蕪上文之事。可謂孝乎）

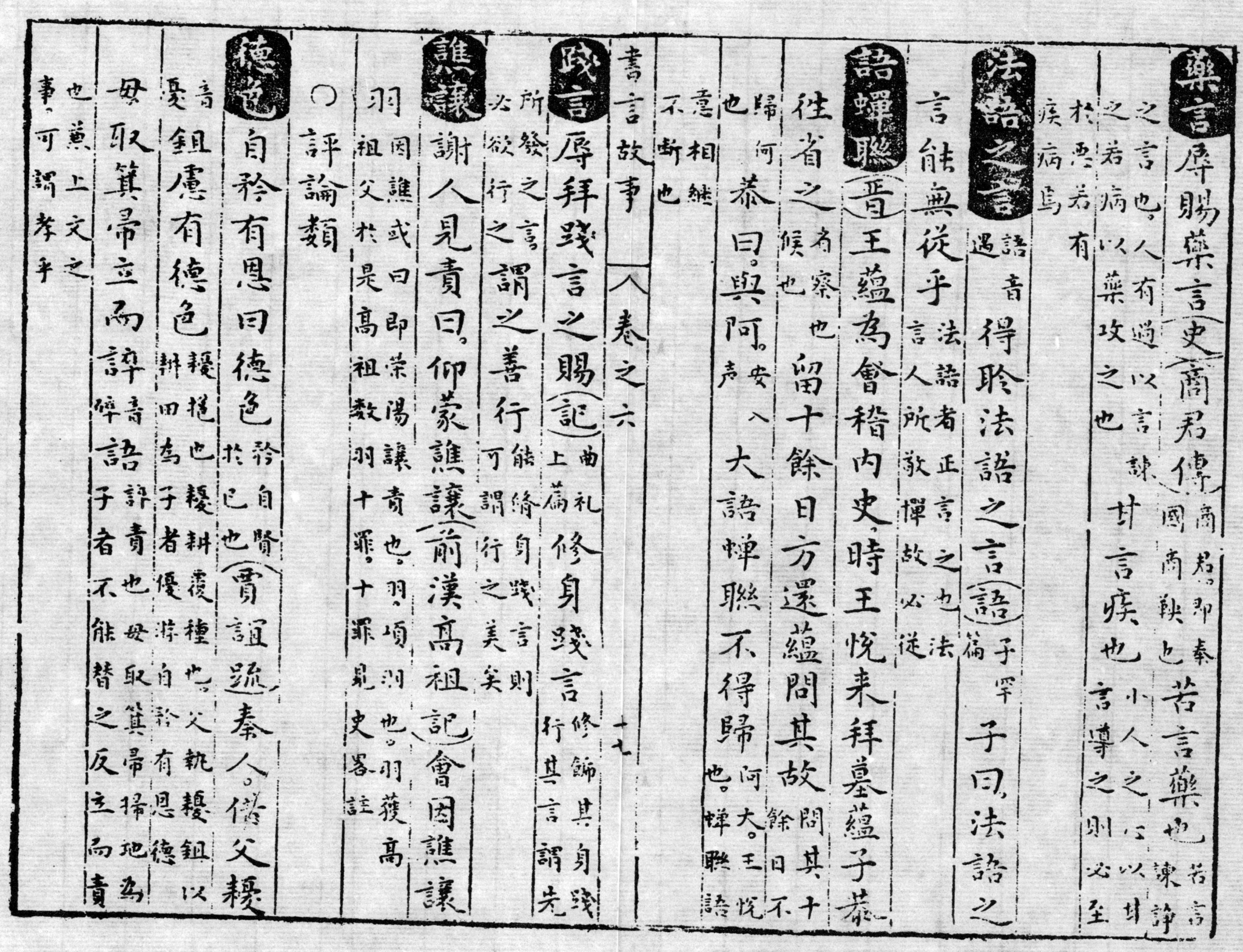

口實 為人話柄曰口實（書 仲虺之誥篇）湯放桀于南巢（放黜也。南巢地名，廬江六縣有居巢城。桀奔于此，因以放之也○桀溺虐，湯放之以救民）惟有慚德（慚羞愧也。湯之伐桀，雖順天應人，然承堯舜禹授受之後，於心終有所不安。故愧其德之不古也）曰。予恐來世以台（音移）為口實（台。我也，我心又恐天下後世籍以為口實也○湯言伐桀專務救民，恐後世有亂臣賊子弒有道之君。而以我為話柄，言我曾伐君，我蓋不得已也）

作俑（音勇）倡端不善謂作俑（孟子 梁惠王章句上）仲尼曰（孟子引孔子之言以對惠王）始作俑者。其無後乎（俑從葬木偶人也。古之葬者束草為人以為從衛，謂之芻靈，略似人形而已。中古易之以俑，則有面目全似人矣，故孔子惡其不仁而言其必無後也）為其象人而用之（孟子引此勸惠王行仁義以愛民，勿使民飢而死，言作俑者但象人而用之，孔子猶惡之，何況不恤民，使民餓死也）

張本 預為後地曰張本（左隱五傳註）晉內相攻伐，故不書。傳具其事，為後晉事張本（張本底本也）

效尤 效人過事曰效尤（左傳 莊公二十年）王子頹享五大夫（王子頹既立。乃為為國等五大夫設享燕之禮）樂及徧舞（享燕之時，徧舞黃帝堯舜禹商周六代之樂）鄭伯曰。王子頹樂禍也（言其以禍為樂也。不當僭用天子之樂，則必禍及）鄭伯納王（丟楚惠王也。子頹逐惠王而篡其位。鄭伯奉惠王從圉門而入，遂殺子頹）享王于闕西辟（辟音僻○闕象魏也，僻偏也。居上既入國，鄭伯乃享王于

象魏之西編樂備（鄭伯亦備六代之樂）原伯曰（原莊公也）鄭伯效尤（尤過也。言效學子頹舞徧樂。蓋子頹惠王之叔父，雖以罪誅，亦豈可從而歌舞乎）其亦將有咎（言鄭伯亦必有殃咎也）介之推曰。尤而效之罪又甚焉（言子頹既有過，則有罪矣。鄭伯效之，罪又勝焉）

效顰（音平）彊學人曰。效顰（莊子大運篇）師金曰。西施病心而顰其里（西施。吴王妃也。極美貌。病心。心痛也。顰皺眉也。蓋西施心痛，故捧心皺蹙其眉于其鄉里之間）里之醜人見而美之（西施生成自美，非曰皺眉而美。醜人悞以西施因皺眉而美）歸亦捧心而顰其里（醜人既歸，亦效西施捧心而皺眉於其里。生來元醜，加皺眉轉加醜矣）富人堅閉門不出（家富者資財多，不能移徙，故閉門不出。所謂怕覷其醜形也）

貧人見之挈妻子而去之走（貧者無資財，易於遷徙，故挈妻子而逃。蓋亦畏其醜也）彼知美顰（彼之醜人，但知務美而效顰）而不知顰之所以美（而不知西施雖顰，所以自然之美也）

噬臍（筮音世）悔事不及。曰噬臍（左莊公六年）楚文王伐申（申姜姓國）過鄧（鄧曼姓國。道經於彼）鄧侯曰。吾甥也（楚王是夫人鄧曼之子。故鄧侯曰吾甥也）止而享之（留楚王而宴享之）騅（音追）甥聃（音貪）甥養甥請殺楚子（三人皆鄧之甥，仕於舅之國。請鄧侯殺楚文王也）鄧侯弗許（不從三甥所請）三甥曰。亡鄧國者此人也（言異時滅鄧國必文王也）若不早圖後君噬臍（噬口咬也。言若不及早圖而殺之，後君必悔之，如以口咬嚙臍，不可及也）

後楚王果賊節果如三甥之言

鑄錯 北夢瑣言羅紹威以魏博牙兵驕甚盡殺之魏博二州名。牙。旗名。旗竿飾以象牙人竪立於帳前謂之牙門。一曰古者軍行有牙。尊者在後人因以聽治處為衙蓋牙兵驕恣之甚。盡遭殺絕滅由此勢弱遂為梁朱溫所制朱溫。五代梁太祖也。制猶勝伏之也。紹威勢弱朱溫得以制之也。乃謂親吏曰紹威與所親愛之吏而言聚六州四十三縣鐵鑄一箇錯不成六州魏博一桓澶衛言盡聚其間之鐵鑄一錯字不成。蓋歎其悞殺也

指南 謝人指教。仰荷指南荷負荷也東京賦東京。下柒是也曰幸見指南於吾子吾子其人也。言我幸得指教實賴其人。指南注見下文桓譚新論曰管仲桓公之指南齊桓公霸諸侯。一匡天下皆管仲之謀孔子亦嘗大其功。故曰。管仲乃桓公之指南車也古今註越裳氏来貢歸忘其路交趾南有越裳氏過三國而来獻白雉於周成王使者迷歸路周公與指南車指南者車也刻木為人擧手南指如後世羅经針之類車運無常隨人所指其國在南令其望所指則知歸路至其國車轄閑入声鐵銷盡轄車軸頭鐵也。使者載指南車由南蛮国海際朞年而至其國以日之久故轄鐵銷盡

發縱 漢高祖封功臣高祖既得天下剖符以封功臣蕭何食邑獨多蕭何封鄼侯禄食縣邑多於諸侯功臣曰何未有汗馬之勞反居臣等上何也汗馬馬走汗出言戰功也既無汗馬之功居臣等上何也高祖曰

諸君知獵乎。追殺獸者狗也。發縱指示者人也發縱解索而放縱狗也諸君徒能得走獸功狗也得走獸比之若汗馬相戰之功至如蕭何功人也蕭何之功若人發縱指示蓋蕭何專於鎮国家撫百姓餽饋餉不絕粮道其功所以蓋於諸將。未嘗汗馬也羣臣莫敢言

反汗

言出復反曰反汗（易）渙卦風水渙卦名也䷺九五自下至上第五爻渙汗其大號渙。散也。朱子語渙汗其大號聖人當初就人身上說一汗字為象不為無意蓋人君之號令當出乎人君之中心。由中而外。由近而遠雖至幽至遠之處無不被而及之亦由人身之汗出乎中而被乎四体也（劉向封事）言號令如汗汗出而不反者也。今出令未能踰時而反之是反汗也號令當散之時。如汗之出于毛。百竅中迸散出來這箇物不會反。却不是說那號令不當反。只是取其如汗之散出。自有不反底意思〇言語既出而反之如汗之反於身內汗既不能反於身內則言語如汗之。出不可及

見機

識事之微曰見機（繫辭）下傳〇繫辭之義已見前第一卷人君類宝位之下幾者動之微謂事之始動尚細微而未著之時吉之先見者也凡事之初皆以吉為先〇朱子曰。譬如陽生而井溫雨降而雲出衆人不識而君子見之君子見機而作。不俟終日惟知機者能見乎微於是奮然而起不待終日之久作起而去也

機事

機微之事（繫辭上傳）幾事不密則害成標題云。幾微之事不

能謹密則漏泄致禍而妨害其事之成就是以君子慎密而不出也（標題）

云所以君子之人止其言語謹慎踈密而不輕易以出其口

模稜（稜骨登反）處事兩可曰模稜（唐）蘇味道為相謂人曰決事不欲明白悮則有悔（言決事若果斷明白則恐有悮有悔）模稜持兩端可也（模手捉也端頭也決事之際若以手持木兩頭而捉其稜在兩可之間）世號模稜手（如此世人號為模稜手也）

首鼠（漢）田蚡（音粉）怒韓安國曰何為首鼠兩端（鼠性疑出穴多不果故持兩端者謂之首鼠兩端一進一退也）

鄉隅（鄉音向）獨不得意曰鄉隅（漢）刑法制古人有言滿

堂飲酒（滿堂賓客皆相与歡會而飲）一人鄉隅悲泣（鄉與向同隅角也泣出涙而無哭声）則一堂皆為不樂（惟一人心悲衆人雖飲亦不樂矣）

削迹（莊子）（山水篇）孔子曰吾再反於魯（孔子一歲至三十歲在魯三十四歲適周反魯三十五歲適齊四十二歲再反於魯）伐樹於宋（孔子五十六歲適宋與弟子習禮大樹下司馬桓魋伐拔其樹故）削迹於衛（孔子曰天生德於予桓魋其如予何削迹不行也孔子六十八歲魯以幣印孔子遂自衛反魯不仕乃叙尚書刪毛詩脩春秋〇自衛反魯更不週流四方故曰削迹自衛反魯之後）

仍貫事如舊曰仍貫（語）（先進篇）魯人為長府（長府藏名藏貨財曰府為蓋改作之）閔子騫曰仍舊貫如之何何必改作（仍因也貫

事也閔子欲魯人○仍因舊事不必改作○王氏曰改作勞民傷財在於得已○則不如仍舊貫之善

遷喬 自甲升高曰遷喬 甲下也 (詩) 伐木篇 伐木丁丁 音爭○丁

丁伐木声 鳥鳴嚶嚶 音鶯○嚶嚶鳥声之利也 出自幽谷 幽深也 遷于喬木 遷升也○喬高也夫伐木起興以作此詩言人自下升高○如鳥之自深谷而遷于喬木之上而其声利也如此

下喬入幽 捨高就甲曰下喬入幽 (孟子) 滕文公章句上 曰吾聞出於幽谷遷於喬木者未聞下喬木○而入於幽谷者 昔有陳相者棄其文學之業負耒耜自宋之滕謂滕文公曰○聞君行聖人之政○是亦聖人也願爲聖人氓故孟子言此譬喩陳相棄文學以就耕由高趨下不如禽能捨下遷喬也

掃地 言人倒敗曰○掃地 (唐) 祝欽明中業與六經等科 欽明中科學業與六經唐科目名 中宗宴群臣○欽明自言能八風舞 左夫舞蹈八音而行八風 (語) 東谷風東南清明風○南凉風西閶闔風○西北不周風北廣莫風東北融風 據地搖頭睆目 睆環上声 目睆○出目貌以手據地搖頭出目以視 帝大笑盧藏用嘆曰○是舉五經掃地矣

納侮 自招人玩曰納侮 玩戲弄也 (書) 說命中篇記傅說爲相進戒之辭以佐高宗 毋音無 毋啓寵納侮 毋者禁止之辭啓開也○毋開寵幸而納人之侮 毋恥下同 毋恥過作非 毋恥過悞而遂已之非過悞出於偶然作非出於有意

文過 自飾其過曰文過 (語) 子張篇 子夏曰○小人之過也

文過 自飾其過曰文過（論）子夏曰小人之過也必文〔諱其過非出於無心〕

過作非 下音同無心 諱過飾非 也 [illegible]

納侮 自招人玩曰納侮（書）〔下音 [illegible]〕

帝大笑盧藏用業曰是舉去終南捷徑矣

北〔[illegible]〕風 東〔[illegible]〕風 [illegible]

掃地 言人倒敗曰掃地（通鑑）

中宗 [illegible] 明 自言 [illegible] 入風

學也 谷 [illegible]

間出於幽谷遷於喬木 未聞下喬木而入於幽

下喬入幽 捨高就卑曰下喬入幽（孟子）〔[illegible] 章 文 上 音〕

也 [illegible] 其 [illegible]

喬木 [illegible] 嚶嚶 [illegible] 出自幽谷遷于喬木

遷喬 自卑升高曰遷喬（詩）伐木丁丁

[illegible]

必文 文飾之也。小人憚於改過而不憚於自欺。故必文以重其過○蓋君子有過幸人知之。非惟不敢自欺亦不欺人。故其過也卒改而為善。小人之過惟恐人知之。不惟欺人。徒以自欺。其過也卒流而為惡

飾非【史】商紂智足以拒諫言足以飾非 商紂淫虐之甚。其明智足以拒絕諫言。其言善飾文飾其非以為是

方命【書】不從曰方命 堯典篇 方命圮 皮上声 族 方命者逆命而不行也。圮。敗也。族。類也。此蓋堯時洪水滔天。衆皆贊鯀之美而薦之治水。堯曰甚不然。蓋鯀之為人悻戾自用。不從上令。言其與衆不和。傷人害物。鯀之不可用者以此也。故堯帝曰方命圮族。蓋逆命者敗其族類也

【孟子】梁惠王章句上 方命虐民 方逆也。命王命也。此蓋齊宣王見孟子於雪宮。孟子勸王當愛民而與民同樂。勿逆王命而虐民。既逆王命而虐民。則如水之就下而忘返。如是者則為諸侯之憂

徼福乞靈 求福曰徼福【左】哀十四年 晉將伐齊。使来乞師曰。昔臧文仲以楚伐齊取谷。宣叔以晉伐齊取陽。寡君欲徼福於周公乞靈於臧氏 通考哀公之下。且無所載(群玉)又載徼福於僖公二十四年。乞灵於哀公二十四年。備考皆無所載。不敢強解。姑存之以賛求福之說

尋盟寒盟 尋舊約曰尋盟。背約曰寒盟【左】哀公十二年 公會吳于橐 音託 皋 魯哀公會吳王夫差于橐皋之地 吳請尋盟 尋重也。吳

大宰伯嚭請尋七年鄫之盟。蓋哀公七年之際與夫差會盟於鄫地故於此伯嚭復尋舊盟（釋注）嚭彼上声鄫音秦使子貢對哀公使子貢荅大宰嚭曰盟所以固信也言凡為盟所以固其約信也有盟不可改也言既有前日之盟則不可得而復改矣若可尋也亦可寒也寒背約也。言設使盟可尋而温之，則亦可以寒盟。而背之矣○恐盟改而尋之盟若可改縱尋何益於是吳從子貢之言不果尋盟

尸位素飡無功食祿曰尸位素飡（漢）朱雲上書曰。今朝廷大臣皆尸位素飡凡祭以一人端坐。以為祭之主故曰尸素空也尸如祭祀之。凡居其位而不為其事○前漢成帝時王莽舉家皆封侯。王莽為大司馬將及簒位。張禹等不能治政以救亂。故朱雲言大臣皆尸位素飡○孔子嘗曰。邦無道穀。恥也正合此意

（詩）伐檀篇名刺音次在位貪鄙無功而食祿詩人言有人於此用力伐檀將以為車而行陸也。今乃貴之河干則河水清漣而無所用雖欲自食其力而不可得矣彼君子兮不素飡兮君子之志則自以為不耕則不可以得禾不稼則不可以得歛是以甘心窮餓而不怨也。詩人述其事而嘆之以為是真能不空食者。後世若徐穉之流。非其力來食其屬志蓋如此

如顛遂所望曰如顛**錄異傳**曰廬陵歐明從賈音古客道經彭澤湖從為也坐為客曰賈彭澤湖即鄱陽湖一名宮亭湖蓋歐明為客常經過也每以舟中所有投湖中所有之財每每經過悉投擲於湖中而捨之後忽一人來候明候迎候相請也云是青洪君一人來候者言是青

洪君相請明甚怖音捕○怖惶懼也。請其入水以故恐懼吏曰無怖吏即上文一人来候者謂明勿怖青洪君感君有禮故要音腰君要請也。言青洪君感君每経過能投物故令我来要請君也必有重遺君勿取遺贈也。言必重以寶物相贈君皆勿受獨求如頤耳如頤詳見下文明既見乃求如頤明如吏之言但求如頤使逐明去逐。隨也青洪君使如頤從明而去如頤者青洪君婢也。明將歸所頤輒得將歸將如頤歸家也。輒專也。但心所頤者專可以得也數十年大富

熱中 心熱曰熱中（孟子）萬章章句上仕則慕君不得於君則熱中不得不失意也。熱中躁急心熱也。孟子言人仕宦則忠心慕其君不得賢君以行我所言以故心中熱也

技癢 音養有能欲逞曰技癢。嬾真子云老杜哀鄭虔詩有薈隈去声蕞何技癢之句老杜杜甫也。杜公自述薈蕞等畫高元之荼甘録曰薈草多貌蕞小貌虔自謂著書雖多皆碎小之事後人傳訛為會粹謂會聚其純粹失之遠矣謂人有技藝不能自忍人有能為藝術者即欲逞之故不能忍如人之癢也（潘安仁賦）徒心煩而技癢

塞青 塞音色下同止塞罪責（漢書）高祖逮音代捕趙王敖逮捕追捕也。趙王敖張耳子也漢高祖以其反而追捕之趙相去声貫高對獄獨白趙王不反白稟告也上赦趙王上高祖也以貫高之言遂赦之貫高曰

趙王不及上誅趙王上高曰（吾白其上東反故如法趙王之高帝言趙也以貫）

漢遣貫高補趙王以趙王為趙王相貫高對獄自稱（遣下塞同音）

奏青 止塞罪責（漢書）高祖遣補趙王之孱也（潘安仁射雉賦）徒心煩而技癢

謂人有技藝不能自忍（故人讀有會之誰故云不藝術能忍者如之遠近入）

有之事曰後入草檗何會小懶讀會自會蕭誰寄書言高之事（能多此為會之小）

技癢 有蕃有能欲逞曰技癢禪真子云先生家鄭處誨（蕃音言中熟以故）

書言故事 卷之六 二十六

熱中 則熱中（入仕而不得則焦熱心中）

心熱曰熱中（孟子）仕則慕君不得於君則熱中（以心熱所以往而不得也）

者之謂是也。明使遠明歸去頭躁家歸家都也（心以所以）

頑頭遣求明見乃求如頭安全遺之（言也故）

君以知明甘寶含為求有重遺君而取得也

謂一明入來為侯者青淚君有禮故要君要

相明其布其入水以諸（書漢上義）白明是（其）

今王已出吾青已塞（塞，蒲也。止也。言王得出吾責罰已止矣）死不恨矣

【專美】 獨專美好（書）（說命下篇記傅說論學之辭總謂之命者）爾尚明保予（此商高宗命傅說曰。爾庶幾明以輔我）罔俾阿衡專美有商（阿衡伊尹官名）（伊尹佐湯王。以興天下。高宗望傅說。佐己亦如伊尹之佐湯王無使伊尹專美於我商家也故曰罔俾阿衡專美有商）

【去思】 去後人見思（漢）何武為吏（古之仕宦者總稱曰吏今之仕宦者總稱曰官）守法盡公所居無赫赫名。去後常見思

【先容】 求薦達曰為之先容（鄒陽傳）蟠（音盤）木根柢（音帝○蟠屈曲也柢大根也）輪囷（音群）離奇（屈曲盤美之貌）為萬乘器者以左右先為之容也（乘器者太子車輿之器言本大根盤屈之美可為天子之車器者。則左右之間。盤曲先為車之容人。求薦舉者容貌示為端嚴。亦若盤木先為用飾為輪之容）

【求疵】 求索（音色）瑕疵（漢）武帝時。議者多冤晁（音潮）錯（音助）之策務摧抑諸侯戾王（先是晁錯言於景帝曰吳王誘天下亡人謀作亂。合削其郡人言楚趙有罪削一郡滕西有姦削六縣至是諸侯皆反，表盎言獨有斬晁錯復諸侯故地兵可無血刃而罷。錯於是腰斬。至武帝時議者言錯策是而見殺為冤。有司緣此欲摧抑諸侯王）數（音朔）奏其過惡吹毛求疵（凡有小過大瑕本不知乃發奸剔伏奏其過惡亦如吹開毛縫以求其瑕疵）笞服其臣使証其君（笞種擊也。捶擊諸侯之臣以証

諸侯為君者之罪

受辛 告辭曰受辛。楊脩辨曹娥碑後字，齏臼受辛辨齏臼為受辛蓋梼齏之臼。梼辛物為齏（廣韻）作齏梼薑蒜為之○齏臼常梼薑蒜而受辛辣。故曰受辛

受辛辭字也合受辛二字而為辭字也○餘詳見後第十一卷文章類黃絹色絲之下

○求教類

開茅塞 求教云望開茅塞（孟子）盡心下章謂高子曰孟子至此通為一句山徑之蹊音兮間徑小路也蹊人行處也介音戛然用之而成路介然倏然之頃也用由也路大路也為間不用則茅塞之矣為間少頃也。茅塞茅草生而塞之矣今茅塞子之心矣言理義之心不可少有間斷也

○理義有間中心為物欲所蔽亦如逕不由茅塞矣

發藥 求教云望發藥（莊子）列禦寇之篇先生既來曾不發藥乎列禦寇造屨養其身而自足。伯昏瞀人至列禦寇之家則戶之屨滿矣伯昏瞀人北面而立。堅杖以柱之乎。順立間不言而出通賓客之人以告列禦寇。禦寇提屨跣足而走暨乎門曰。先生既來曾不發藥乎。猶以藥砭戾善言為藥石之言。伯昏瞀人曰已矣吾固告汝曰人將保汝果保汝矣（釋注）瞀音莫暨音器至也

郢斵 音影杵挼獻求斤削云敢覲音計郢斵覬希望也（莊子）徐無鬼篇郢人堊音悪漫其鼻端若蠅翼堊自飾牆自堊各白蟮有此形迹浮其鼻端若蒼蠅翼之狀（釋注）蟮音閃使匠石斵之匠石。匠石之人也斵所也匠石

運斤成風運磨也。斤刀斧之屬成風。刀斧極快利如風之疾速也斫而斵之

盡斵而鼻不傷。郢人立不失容求人改詩文。猶匠石斫郢人之鼻端故曰郢斵

電矚音竹投獻望采覽云。幸賜電矚岩電(晉)王戎視日不眩音玄○眩乱視也

○獎譽類

華袞謝人褒稱寵踰華袞(穀梁序)穀梁序子夏門人著春秋傳晉范甯序

一字之褒寵踰華袞之贈踰过也袞。夫子服也(釋文)一云華袞。如袞衣之華美勺首卷然而曲曰袞。言有人能以一字褒奬於我則寵愛之心过於以華袞之贈也

之至論以示公蘇軾即東坡公驚喜以為異人欲以冠多士冠首也。公以其論之極美。以其非常人。故欲以為多士之首選疑門人曾子固所為乃寘音至第二選子固乃歐陽公之門人也寘。止也歐陽公疑蘇軾元此才恐是子固所為故止以蘇軾居第二選復以春秋對義居第一蘇軾又為春秋對義復居第一公曰老夫當避此出一頭地歐公称羡其才歎服言我當讓其一頭之地位

非復吳蒙刮目相視(吳)呂蒙呂蒙吳王孫權之將權謂蒙宜學問以自開益呂蒙初不學權勸蒙讀書後魯肅過蒙魯肅過訪於蒙与蒙談論大鷩曰卿非復吳下阿蒙音遏阿發語辭也魯肅大鷩拍蒙背曰吾

運斤成風 [illegible]

盡堊而鼻不傷 [illegible] 郢人立不失容 [illegible]

[illegible]

不能復議 [illegible]

○ [illegible]

譏人毫髮 [illegible]

一字之褒寵逾華袞之贈 [illegible]

[illegible] 卷之六

[illegible] 齒牙 [illegible]

[illegible] 擲地 [illegible]

人才 [illegible] 曰士子 [illegible]

[illegible] 文無害 [illegible]

[illegible] 曰風日清 [illegible]

有高名 [illegible] 共論 [illegible] 人 [illegible]

[illegible]

謂大弟但有武畧耳今者學識英博非復吳下阿蒙言其非舊日吳下呂蒙矣蒙曰士別三日即當刮目相待

名下無虛士（國史纂異）閻立本家代善畫立本以祖傳世代善能圖畫到荆州觀張僧繇音由舊迹僧繇舊日壁上所畫之迹初往初往觀之曰虛得名耳言其虛得名所畫非實好明日又往曰猶是近代佳手佳好也明日又往曰名下定無虛士第三次觀之詳玩其妙則知其名不虛坐卧觀之留宿其下十日不能去此節與前第三卷畫者類金陵畫壁之下同意但所載不同彼載后山叢話此載國史纂異彼言金陵此言荆州未知孰是觀者詳之

逢人說項斯楊敬贈項斯詩云楊敬為國子祭酒幾度見君詩畫好及觀標格過於詩楊敬言我數見君之詩畫其美好及觀君之姿質過於詩之好也平生不觧蔵人善到處逢人說項斯平言生專欵揚人之善但到處逢着於人即說項斯之美

○讚嘆類

咄諾而辦咄音敦入声事易成曰咄諾而辦（晉）石崇與客作豆粥咄諾而辦石崇為天下第一富家○尊者呼左右之人曰咄左右必諾。故曰咄諾而辦每冬得韭虀王凱嘗以為恨王凱西晉惠帝母舅也。家亦富每不及石崇於此。亦嘗以為恨

多々益辦 多了事曰多多益辦（漢）高祖與韓信言漢六年人上書告楚王韓信反高祖擒之赦為淮陰侯於此際從容與言如我能將兵幾何。將統領也。高祖言如我能統領兵多少信曰陛下不過將十萬上曰於君何如。信曰臣多多益辦多々其數極多且無限量

咄咄逼人 事迫近曰。咄咄逼人（法帖）衛夫人書云夫人姓李衛次道妻衛有弟子王逸少甚好學衛真書逸少。好學書衛夫人真書之字咄咄逼人咄々驚恠之声人見其書極好故為驚恠之声

得三昧 得妙處曰得三昧（柳子厚詩）共傾三昧酒三昧（論語）唐言正受。今人作妙處解非也坡詩多用三昧字言東坡作詩。多用三昧二

字大凡物皆有三昧。謂其妙處也（國史著曰）李肇作長沙僧懷素自言。得草聖三昧懷素善於草書自言得其中正受之妙處

司空見慣 見過多曰司空見慣（唐）杜鴻漸為司空鎮洛時。韋應物為蘇州刺史過洛刺史今知府是也杜出二妓為宴宴飲之際。以二妓女歌舞於前酒酣命妓索詩於韋酣飲酒醉中酒之時也。當此際鴻漸命妓索韋應物作詩韋甚醉就寢予疑韋應物甚醉未嘗有詩下文所言之詩鴻漸為之教妓女誦之以戲韋應物未嘗見此也中夜醒醒酒歇也見二婦人侍側驚問故。對以席上作詩司空命侍寢

令誦其詩應物以其醉既有作且遺忘矣。故令妓誦曰高髻雲鬟宮樣粧言其形容妓女粧飾之好如天子宮中之樣春風一曲杜韋娘杜韋娘曲名也司空見慣渾閑事司空常見即以為閑斷盡蘇州刺史腸謂應物未嘗見妓以為極美。不忍捨之。故斷腸云耳

漸入佳境 近好處曰。漸入佳境（晉）顧愷之每食甘蔗常自尾至本人或恠之愷之云漸入佳境尾嫩故味不嘉向根下味猶嘉

收之桑榆 成於晚景曰收之桑榆（漢）馮異大破赤眉於崤底赤眉王莽朱琅邪樊崇起兵恐其兵与莽兵不辨。遂以朱塗其眉時號赤眉賊崤山名今陝縣東二崤是也。底崤山之下也馮異當此之際破其兵於其下光武璽書勞異天子印。曰璽労慰問也曰始雖垂翅音世回溪鳥垂翅則墜譬喻其敗於回溪田溪在澠池俗名回坑終能奮翼澠音免池奮翼張兩翅也鳥張翅則飛高舉譬喻其勝於澠池。澠池。即崤底可謂失之東隅東隅日出處也言其早敗於回溪收之桑榆喻其晚勝於澠池。（前漢書）谷永曰大白出西方六十日法當叅天今已過期尚在桑榆之間桑榆謂晚也。或云日入處也淮南子曰。西日垂影在樹尾謂之桑榆

張吾軍 張音帳 **左** 桓公六年闘伯比言於楚子曰闘伯比。楚大夫令尹子文父也楚子楚王也我張吾三軍楚王侵隨楚反使其大夫遠章先求成於隨楚軍駐於隨国瑕地以待振闘伯比言於楚子曰我且張大吾三軍之衆而被吾甲兵

使三軍之人皆被其堅甲与其利兵以武臨之以威武而臨漢東之諸侯○漢東諸國隨為大国隨季良勸隨君脩政親兄弟之国隨君遂修政親諸國於是楚不敢伐

韓詩 此乃韓愈与張秘書文字飲而作也詩成使之寫作詩既成就則使之書寫亦足張吾軍亦可以張大吾之軍師也

旁若無人 **前秦載記** 王猛詣桓温。而談當世事捫音門蝨音色而言捫以手扶持也旁若無人言談之間泰然自安以手捫弄於蝨不顧左右以為旁若無人○詳見後第十二卷百蝨類捫蝨論事之下

巋然獨存 巋音奎（選）魯靈光殿賦序曰魯国有靈光殿殿之賦有序云自西京未央建章之殿皆見隳音揮壞西京。或曰。今河南是也隳毀也而靈光殿巋然獨存巋然高大堅同

暗中摸索 音朔 **國史纂異**（唐）許敬宗性輕太宗時十八學士敬宗其一也其性輕忽於人多見人多忘之或謂其不聰曰即自難記敬宗言常人無名者即難記也若遇曹名植劉公幹沈約字休文謝靈運暗中摸索著張入声亦可識言暗中摸著此四人亦可識不待明視

老蒼 **韓詩** 田巴元老蒼憐汝矜爪觜田巴。乃齊国一辨別之士辨於祖匠議於稷下一日服千人有徐劫弟子魯仲連謂劫曰臣願當田子使不復說仲連往見田巴辨別果伏於田巴巴於是閉口易業終身不談韓詩朝仲連故云謂曰巴老蒼譬如畫眉老蒼仲連乃新進後生譬如新補之禽且宜保互爪觜不可輕用○汝指仲連也言田巴乃前輩為老蒼可憐汝

爲後輩而矜誇其少背……兒中元
貽不足前輩之老也

老蒼言敦夫乃兒輩之中獨老蒼者趣造甚奇異言其意趣造作甚是奇妙異於

衆人

富春秋 少年曰富春秋（漢）齊襄上傳皇帝春秋富（注）

比之於財方未匱竭匱乏也竭盡也

一鳴驚人 史滑稽傳 齊威王好淫樂音洛不治音持政事。

諸侯並侵威王名因齊初不治諸侯皆來伐淳于髠音坤說音稅之淳于

覆姓說以言化人使從己也曰有大禽上音賞王之庭不蜚同飛不

鳴髠言于王曰不飛不鳴是何鳥也。蓋借鳥譏威王爲樂不治政也王曰。此禽不

蜚則已一蜚衝天不鳴則已一鳴驚人於是朝諸

縣令長萬戶以上爲令千戶以上爲長於是召諸縣令長來朝也賞一人王乃召即

墨大夫語之曰。自子之居即墨也毀言日至。然吾使人視即墨田野闢。人民給官無事東方寧是子

不事吾左右以求助也封之萬家誅一人召阿大夫語之曰自子之守阿譽言日至。吾使

人視阿田野不闢人民貧餒是子厚幣事吾左右以求譽也。是日烹該阿大夫與常譽者奮音僨

兵而出諸侯振驚皆還侵地群臣恐懼莫敢飾詐齊大治諸侯不敢復

至兵舊日侵占齊地悉以還之

○譏佞類

簧鼓 指妄言惑衆者爲簧鼓（莊子）駢拇篇簧鼓天下之

耳目黄女媧作笙管中根金鍱此大妄言若笙簧鼓動以致惑亂天下之耳目也

道聽塗說（語）陽貨篇 子曰道聽而塗說德之棄也 道听塗說者自棄其德也○雖聞善言不為已有。是自棄其德也○王氏曰君子多識前言往行以畜其德道聽塗說則棄之矣○鄭氏曰有所聞而不蓄諸已故曰棄○先師曰人之聞善蘊蓄於不言之表者其德固淺露於輕言之際者其德棄矣

搖唇鼓舌生是非人。為搖唇鼓舌（莊子）盜跖篇 盜跖曰不耕而食不織而衣搖唇鼓舌妄生是非 詳見第四卷送行類行色之下註述之内

萋斐被讒譖謂遭萋斐貝錦（詩）巷伯刺音次幽王也 巷伯宮內道名。伯長也王宮內道官之長即閽人也故以名篇刺讒議也讒害王不能敬而听之而信讒言也 寺人傷於讒故作此詩也 楊氏曰。寺人內侍之微者出入於王之左右親近於王而日見之宜無間之可乘矣。今也亦傷於讒則疏遠者可知 萋兮斐兮。成是貝錦 萋斐小文之貌貝水中介虫也有文采似錦 彼譖人者亦已太甚 音審○時有遭讒而被宮刑為巷伯者作此詩言因萋斐之形而文致之以成貝錦以此讒人者因人之小過以飾成大罪也彼為是者亦已大甚矣○萋斐文章相錯也貝錦錦文也讒人集過以成罪猶文集采色以成錦文（釋注）宮刑詳見前第二卷無後類綫急非益註內

三緘封也謹言避讒曰三緘（家語）觀周篇 孔子觀周廟 周廟后稷之廟也。孔子入而觀之 有金人焉 廟中有金鑄人 三緘其口 以三重封

其口而銘其背曰銘刻於背上曰古之慎言人也此若者然謹言語之所以避讒也

書言故事大全卷之六終